D1094549

Splat el Gato

¡La vuelta al cole!

Basado en los bestsellers de Rob Scotton
Ilustración de cubierta de Rob Scotton
Texto de Laura Bergen
Dibujo de interiores de Charles Grosvenor
Coloreado de interiores de Joe Merkel

ciempiés

Para Marley. Deja que tu imaginación te guíe. —R.S.

Splat the Cat: Back to School, Splat!

Publicado en colaboración con HarperCollins Publishers

C/ Laurel 23, 1° - 28005 Madrid
www.edicionesjaguar.com

Tipografía: Rick Farley

Depósito legal: M-6934-2012
ISBN: 978-84-15116-17-2

La cola de Splat se meneaba nerviosa y
entusiasmada mientras caminaba hacia
la Escuela de Gatos.
Era el primer día de colegio y estaba deseando
volver a ver a sus amigos y a la profesora,
la Srta. Dulcesmofletes.

Splat iba arrastrando la cola, mientras volvía a casa esa misma tarde.

Ya no estaba ni nervioso ni entusiasmado.

Solo había sido el primer día de clase, ¡y ya tenía deberes!

—¿Qué te pasa, Splat? —preguntó su hermana pequeña.

—Tengo que hacer una exposición y contar cómo han sido mis vacaciones de verano —contestó Splat.

—Suena divertido —dijo su hermana pequeña.

—Pero hice muchas cosas superdivertidas, ¿cómo elegiré solo una para la exposición? —replicó Splat.

Durante el verano, Splat participó en una importante carrera de bicis.

—¿Puedo ir yo también? —preguntó su hermana pequeña.
—Las bicis de las hermanas pequeñas no son lo bastante rápidas para las carreras —respondió Splat.

Pero ella le siguió de todos modos.

Y también fue a nadar con tiburones en el océano.

—¿Puedo ir yo también? —preguntó su hermana pequeña.
—Las hermanas pequeñas no son suficientemente fuertes para luchar contra los tiburones —respondió Splat.

Pero ella le siguió de todos modos.

Splat jugó un importante partido de fútbol.

—¿Puedo ir yo también? —preguntó su hermana pequeña.
—Las hermanas pequeñas no son suficientemente grandes para jugar al fútbol —respondió Splat.

Pero ella le siguió de todos modos.

Splat fue en busca del tesoro de un pirata.

—¿Puedo ir yo también? —preguntó su hermana pequeña.
—Encontrar tesoros es muy difícil para las hermanas pequeñas —respondió Splat.

Pero ella le siguió de todos modos.

Splat incluso construyó un cohete para ir al espacio.

—¿Puedo ir yo también? —preguntó su hermana pequeña.
—¡Ahora no! —respondió Splat—. Estoy contando. Diez... nueve... ocho... siete... seis... cinco... oh-oh... Olvidé cuál viene después...

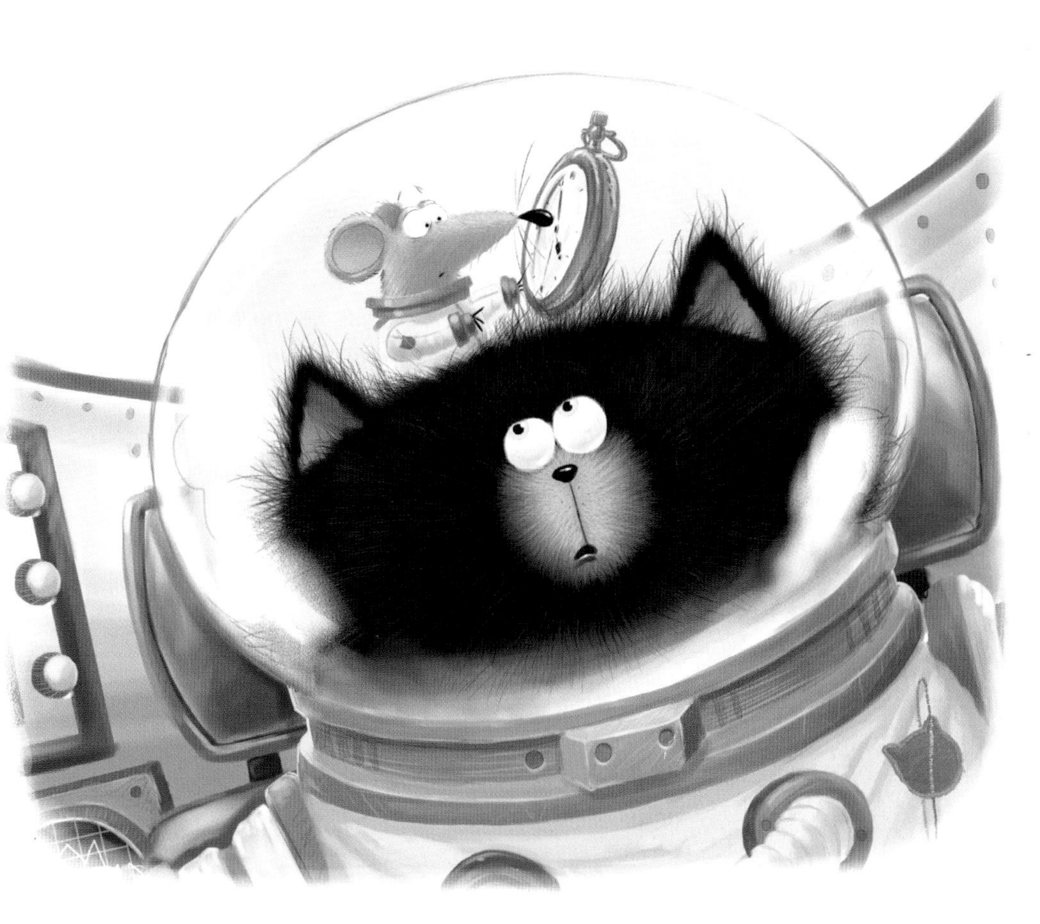

Pero ella le siguió de todos modos.

—... Cuatro. Tres. Dos. Uno. ¡Despegue! —exclamó ella.

—He tenido muchas aventuras —le dijo Splat a Seymour—. ¿Cómo voy a escoger solamente una? No se le ocurría ninguna idea. Seymour se encogió de hombros.

De repente Splat se dio cuenta de algo. ¡Había algo realmente importante que él podía enseñar!

Al día siguiente, Splat fue al cole moviendo la cola nervioso y entusiasmado.
Estaba contentísimo de que su hermana le siguiera ¡esta vez también!